D1415105

Le chevalier inconnu

À Manon.
Grâce aux trois bonnes fées
qui se sont penchées sur le berceau de Brune :
Sophie, Servane et Hélène.
C. C.

© 2014 Éditions NATHAN, SEJER, 25 avenue Pierre de Courbertin, 75013 Paris
Loi n° 49-956 du 16 juillet 1949 sur les publications destinées à la jeunesse,
modifiée par la loi n° 2011-525 du 17 mai 2011.
ISBN : 978-2-09-254897-4 – Dépôt légal : avril 2014
N° éditeur : 10195923
Achevé d'imprimer en mars 2014
par Pollina (85400 Luçon, France), L 67971b

CHRISTELLE CHATEL

Brune du lac

Le chevalier inconnu

Illustrations de Sébastien Pelon

Prologue

Des cris, de plus en plus distincts, de plus en plus forts. Père Jean quitte la chapelle où il était en train de prier et se dirige, dans la nuit, vers la lourde porte en bois du monastère.

– Un enfant ! Ce sont des pleurs de nourrisson ! s'affole-t-il.

Il ne s'est pas trompé. Une fois la porte ouverte, il découvre à ses pieds, dans un couffin d'osier, un bébé emmailloté. Éclairé par un rayon de lune, son visage ressemble à une pomme rouge, percée de deux petits raisins noirs. Père Jean ôte sa capuche, et s'approche doucement. L'enfant a cessé de pleurer. Là, sous son bonnet dépasse un rouleau de parchemin.

D'une main tremblante, le moine déroule la missive. Cette écriture serrée, il la reconnaîtrait entre mille.

Les Anglais sont à mes trousses. De mon château assiégé, il ne reste que des ruines. Isabeau, ma tendre épouse, a été enlevée. J'ai pris la fuite en dissimulant sous ma cape mon plus précieux joyau : cette enfant.

Je vous demande de prendre soin d'elle. Moi, je pars, loin d'ici, à la recherche d'Isabeau. Je ne sais quand je reviendrai.

Elle se nomme Brune.

CHAPITRE 1

– Messire Dragon, préparez-vous à mourir ! Par le fer et par le feu, je serai la plus forte !

Face à un bosquet de buis taillé, une longue épée en bois solidement tenue entre ses mains, Brune s'apprête à porter un coup fatal en tranchant net la gorge du monstre vert. Mais soudain, un murmure l'interrompt dans son geste. Les moines sortent de la chapelle. Vite ! Brune cache son épée sous le buisson ! Père Jean lui a interdit de guerroyer au milieu du cloître.

La fillette réajuste sa tunique et se dirige, mine de rien, vers la cuisine. Elle sent derrière elle le regard courroucé de Frère Benoît.

– De la sauge, du romarin, Frère Cyril sera content, dit Brune à haute voix en s'arrêtant près du jardin des simples[1].

Elle s'accroupit et coupe délicatement les tiges odorantes, sans se soucier du bruit des gravillons qui crissent sous les sandales de Frère Benoît.

– Brune, c'est l'heure de ta leçon d'écriture…

– J'apporte ces plantes à la cuisine et j'arrive tout de suite, Frère Benoît, répond Brune, les yeux encore brillants et les joues échauffées par sa lutte avec le dragon.

– Tâche de te laver les mains et de nouer correctement tes chaussures avant de te

---

1- Les simples sont des herbes utilisées pour confectionner des remèdes. Certaines de ces plantes servent aussi en cuisine.

présenter devant moi ! ordonne le moine en s'éloignant.

Brune réprime un frisson. Frère Benoît est vraiment le moine le plus lugubre du monastère. Même sa robe de bure est plus sombre que celle des autres.

Dans la cuisine, penché au-dessus de la grande table en chêne, Frère Cyril démoule délicatement des lingots de chèvre crémeux.

Brune avance à pas de fouine, hume la bonne odeur de soupe qui mijote dans le chaudron, et hop, bondit sur une chaise en paille, tout près du moine cuisinier.

– Par saint Filou, tu m'as fait peur! s'écrie Frère Cyril, le visage encore plus rouge que d'habitude.

– Il manquait à vos fromages... un peu de saveur! rit Brune en semant les brins de romarin.

Elle aperçoit soudain deux poulets plumés près de la cheminée.

– De la viande? C'est jour de fête?

– Un visiteur s'est présenté tout à l'heure, et a offert ces deux volailles, répond Frère Cyril avec entrain. Il est en ce moment dans le bureau du père abbé.

Un visiteur? Chez son parrain?

– Qui est-ce? Le connaissez-vous? demande Brune.

Le moine hausse les épaules. Il n'en sait rien.

Tout en regagnant sa chambre, Brune laisse trotter les questions dans sa tête. Pourquoi Père Jean ne l'a-t-il pas mise en garde ? Pourtant, personne ne doit découvrir qu'une fille se trouve au monastère ! C'est la règle, ici. Dès qu'un étranger arrive, elle est prévenue et se débrouille pour ne pas être vue. Brune adore ce jeu de cache-cache.

De la fenêtre de sa chambre, elle voit la superbe monture du visiteur, à peine cachée par les branches du gros châtaignier. La tentation est trop forte, et Frère Benoît pourra bien l'attendre une heure de plus.

Sous la paillasse, la corde est toujours là. Brune l'a nouée pendant des mois, en subtilisant les unes après les autres les ceintures des robes dans l'armoire de son parrain.

D'un geste expert, Brune attache une extrémité de la corde à un pied de son lit, ouvre la fenêtre et laisse se déployer l'assemblage de ceintures le long du mur de pierre. La hauteur ne l'inquiète pas. Elle s'est entraînée. La voilà qui vole de branche en branche comme un écureuil. Ses petits pieds et ses mains aux allures de pattes sont bien agrippés à la corde. Elle est tout près de la monture à la robe noire. Sa tête est recouverte d'une armure ! Brune caresse doucement la croupe du cheval, et observe la selle aux riches ornements.

Ce destrier est celui d'un chevalier...

CHAPITRE 2

Brune a du mal à croire que ce cheval, comme sorti d'un des grimoires de Père Jean, est bien réel. La forte odeur de cuir de la selle mêlée à celle des crins lui chatouille pourtant les narines. Et le blason d'azur au monstre ailé qui orne son caparaçon lui semble étrangement familier. L'aurait-elle déjà vu quelque part ?

Du doigt, Brune frôle les traces laissées par les coups d'épée sur le métal de l'armure. Ce destrier doit être valeureux au combat, et il semble épuisé.

– Je vais t'apporter de l'eau! murmure-t-elle à l'animal.

Soudain, le bruit de la lourde porte du monastère la fait sursauter. Elle bondit dans un fourré et observe Frère Hubert, chargé des écuries, qui a visiblement demandé l'aide de l'imposant Frère Georges pour conduire cet animal impressionnant.

– Notre âne Ferdinand va être surpris! s'amuse Frère Georges.

– Ce cheval doit mourir de chaud sous cet attirail! Comment vais-je pouvoir lui ôter tout cela? s'alarme Frère Hubert.

Brune se faufile à l'autre bout de la haute bâtisse. Les deux moines n'ont même pas remarqué sa corde à nœuds suspendue dans le vide.

Des bribes de paroles proviennent du bureau de Père Jean.

– Vous n'avez pas changé! Toujours aussi

pâlot et maigrichon! tonne une voix toni-
truante.

– Euh… Vous, non plus, Enguerrand!
répond le père abbé, presque tout bas.

Accroupie sous la fenêtre, Brune accroche
deux branches d'aubépine à ses cheveux,
et se relève lentement. À l'angle droit du
vitrail, elle a un jour laissé un trou minuscule en s'entraînant à tirer avec son lance-
pierre. Brune colle son œil, et regarde. La
silhouette du chevalier semble occuper
toute la pièce.

Il est encore plus haut et plus large que sa monture !

Soudain, l'homme se tourne et laisse entrevoir une épée, au pommeau serti de pierres précieuses. Brune en oublierait presque de garder l'oreille aux aguets, quand une phrase la trouble :

– Je n'ai pas encore osé prévenir Brune. Elle ne sait rien de vous…

La sonnerie des cloches couvre la suite des propos de Père Jean. Brune enrage en pensée. Elle voudrait rester les écouter, mais, dans le scriptorium[2], Frère Benoît doit attendre son élève, furieux. Oubliant toute précaution, la fillette court le long des murs, et se hisse grâce à sa corde jusqu'à la fenêtre de sa chambre. Vite, elle range l'échelle de fortune, réajuste sa tunique et se présente, quelques secondes plus tard,

---

2- Sorte de bibliothèque où les moines copient les livres et les décorent avec des enluminures.

devant son professeur. Frère Benoît est penché sur son pupitre, occupé à déposer une couche de bleu sur les fleurs d'une enluminure.

– Tu es en retard, Brune ! tonne-t-il sans lever les yeux. Va chercher du parchemin, et ta plume….

Brune est soulagée que le sermon ne dure pas plus longtemps. Elle prend un rouleau de peau de chevreau et sa plume d'oie, plus petite que celle des autres moines. Du regard, elle parcourt les étagères.

– Aujourd'hui, tu recopieras un psaume, annonce Frère Benoît, toujours concentré sur son ouvrage.

Brune l'écoute à peine. Sur les étagères de la bibliothèque, elle cherche un livre… qui n'est plus à sa place ! C'est celui qui est tout petit et tient dans le creux de sa main. Sa couverture est aussi douce et brillante que la peau d'un poisson, et sur sa tranche, un lion fabuleux, doré à la feuille d'or est merveilleusement dessiné. Elle adore le parcourir en secret, en le cachant sous le livre qu'elle est censée copier. L'aurait-elle rangé ailleurs ? Au moment où Brune se hisse sur la pointe des pieds pour vérifier encore, Frère Benoît se met à crier.

– Mais… mais ! Quel est cet accoutrement !

Brune en fait tomber sa plume. Et en se penchant pour la ramasser, elle réalise que les deux rameaux d'aubépine sont toujours accrochés à ses boucles.

– Vous m'avez fait peur ! souffle-t-elle. Je voulais juste…

Elle cherche une excuse, n'en trouve pas. Frère Benoît pointe alors son doigt mena-çant vers ses pieds.

– Et en plus, il te manque une chaussure !

CHAPITRE 3

Dans le mortier, Brune écrase avec son pilon la racine de garance mêlée à un peu d'eau. Puis, du bout de son doigt, elle applique la couleur rouge sur le mur et donne à un petit oiseau, perché sur la branche d'un arbre, le plus beau des plumages.

Dès qu'elle est triste ou juste contrariée, Brune ajoute ainsi de nouveaux détails à son jardin imaginaire, dessiné au-dessus de sa couche.

Frère Benoît l'a punie pour le reste de la

journée, et elle ne sait même pas si elle aura le droit de souper. Les poulets cuisinés par Frère Cyril lui faisaient envie, pourtant… Elle sent leur bonne odeur qui se faufile dans les couloirs du monastère.

Toc, toc, toc.

Le moine cuisinier ouvre doucement la porte.

– Ton parrain t'attend dans la grande salle pour le souper, Brune, annonce-t-il.

– Ah ?

– Enfile vite ceci, la presse le moine, en lui tendant la chaussure de cuir. Et passe-toi un peu d'eau sur le visage !

Brune s'alarme :

– Pourquoi ne rejoignons-nous pas les autres au réfectoire ?

– Tu vas faire la connaissance de notre vi-siteur, répond Frère Cyril, d'un ton joyeux.

Brune sent son cœur faire un bond de

lièvre dans sa poitrine. Comment se fait-il que cet étranger ait le droit de la voir? Les paroles de Père Jean lui reviennent soudain en mémoire: «Elle ne sait rien de vous.» Que devrait-elle donc savoir?

– Brune, approche-toi!

La voix de Père Jean se veut rassurante. Mais à cet instant, cet étranger inquiète sa filleule. Elle regrette de ne pas avoir son épée, pour les défendre tous les deux. Et si cet homme assis à l'autre bout de la table, et s'apprêtant visiblement à dévorer un poulet tout entier, était dangereux?

Soudain, le chevalier se lève. Il fixe Brune d'un regard étrange.

Face à ce géant barbu dont les bras, à la lueur des bougies, brillent comme s'ils étaient recouverts d'écailles, Brune n'ose ni bouger ni prononcer un mot. Le chevalier

tousse bruyamment, s'apprête à parler, tousse à nouveau.

– Voici le chevalier Enguerrand du Lac… intervient Père Jean.

Le géant l'interrompt d'un geste. Comme s'il devinait la crainte de Brune, il s'agenouille, et ouvre ses deux mains, pour recevoir les siennes. Ses yeux, d'un noir perçant, se plissent comme s'ils riaient, ou comme s'ils pleuraient.

– Je vous salue, jeune… damoiselle.

– Bonjour… messire le chevalier, répond Brune, en se demandant comment des mains peuvent être aussi velues.

Le chevalier la libère enfin, se relève, et s'apprête à se remettre à table quand, soudain, il s'écroule sur les dalles, en se tenant le ventre. Brune jette des regards affolés vers son parrain.

– Je n'ai rien fait ! Je vous jure !

– Pardonnez-moi, balbutie le chevalier… Cette douleur… est insupportable.

Père Jean se précipite.

– Enguerrand, qu'avez-vous ?

Le visage blême, les tempes luisantes de sueur, le chevalier n'a plus la force de parler.

CHAPITRE 4

Les matines viennent de sonner, et les premiers rayons du soleil caressent la pierre blanche des voûtes du cloître. Les moines s'avancent les uns derrière les autres vers l'église. Ils prient en silence et marchent en cadence, sans remarquer Brune qui se faufile entre les plis de leurs robes, évitant soigneusement de marcher sur leurs sandales.

La cellule[3] du chevalier ! La porte de la pièce réservée aux visiteurs, juste à côté du bureau de son parrain, est restée entrouverte.

3- Chambre d'un moine.

Brune entend les plaintes d'Enguerrand, et l'aperçoit, étendu sur le lit, bien trop étroit pour lui. Père Jean et Frère Cyril sont à son chevet.

– Son ventre est couvert de cicatrices. Aurait-il une infection ? demande le père abbé.

– Je pense plutôt à un poison, dit Frère Cyril.

Brune frémit en entendant ce mot. Elle s'appuie malgré elle sur la porte qui grince, et fait sursauter son parrain.

– Que fais-tu là, mon enfant ?

Brune tortille sa ceinture de chanvre, puis se précipite, sans lever les yeux vers les moines, auprès du lit du malade, aussi pâle que son drap.

– Je vous en supplie, Parrain, laissez-moi vous aider à le soigner.

Puis elle se tourne vers Frère Cyril, et demande brusquement :

– Vous lui avez donné une infusion de feuilles de ronce ?

Frère Cyril hoche la tête. Son apprentie herboriste a bien retenu ses leçons !

– Il en a déjà bu deux. Mais le pauvre se tient toujours le ventre. Je me demande ce qu'il a bien pu avaler !

Brune remarque alors des petites baies encore collées sur les semelles des immenses bottes du chevalier.

– Regardez ! Ce sont des cerises du Diable !

Elle a vite reconnu les fruits que Frère Cyril lui interdit de toucher depuis qu'elle est toute petite.

– Mais oui ! Par saint Finaud ! s'écrie le moine. Il a dû en manger dans la forêt…

Brune a déjà saisi le bras du moine et l'entraîne avec elle vers l'office. Père Jean, épuisé après une nuit à veiller le malade, n'a même pas la force de répliquer.

– Brune? Où est Brune? balbutie le chevalier dans son sommeil agité.

Son grimoire de médecine ouvert sur la
table, Frère Cyril prépare sa potion.

– Deux brins de lavande, trois pincées de
racines de chicorée, une poignée de fleurs
de souci…

Brune attrape les pots de verre, mesure,
frotte les pétales entre ses doigts, et verse
le tout dans l'eau bouillante d'un petit
chaudron. Puis, discrètement, elle verse le
contenu de son petit sac à trésors, qu'elle
cache toujours sous sa ceinture. Il y a trois
fleurs de coquelicot, une goutte de miel sé-
ché, et une minuscule pomme de pin. Frère
Cyril ne remarque rien…

Après avoir filtré le breuvage, il laisse
Brune l'apporter au chevalier.

Enguerrand s'est légèrement redressé sur son lit. Un faible sourire apparaît sur son visage lorsqu'il reconnaît Brune.

– Approche, mon enfant. Il faut que je te parle…

– D'abord, buvez ! ordonne Brune, toute à sa mission, en approchant le gobelet en terre cuite de ses lèvres.

– Je… Je vais peut-être mourir… Et avant… il faut que je te dise la vérité.

Brune sent un frisson lui parcourir le dos. Elle fixe le chevalier en train d'avaler de petites gorgées de la potion, et attend, intriguée, la suite de son discours.

– Je, je… suis…

Enguerrand baisse lourdement la tête, et Brune craint qu'il ne soit évanoui.

– Brune, cet homme est ton père…

Sur le seuil de la cellule, la voix de son parrain vient de résonner comme un puissant coup de cloche.

CHAPITRE 5

Père Jean a pris Brune par la main, comme il le faisait quand elle n'était qu'une toute petite fille.

– Maintenant, il faut attendre… et prier, annonce-t-il en refermant la porte de la cellule.

Prier ? En silence ? Brune a trop de questions à lui poser ! À peine sont-ils tous les deux dans le cloître qu'elle demande :

– Mon père est un chevalier ? Pourquoi ne m'en avez-vous jamais parlé ?

Des parents, elle n'imaginait même pas en avoir. Père Jean lui avait toujours dit que sa famille, c'était eux, les moines… Et quand elle apercevait des paysans avec leurs enfants, elle se disait qu'elle avait de la chance de ne pas être obligée de travailler durement dans les champs.

« Un chevalier ! Je suis la fille d'un chevalier ! » se répète Brune en pensée. Elle se sent toute légère tout à coup, et saute sur les gravillons en poursuivant un papillon.

« Il n'est pas très beau, certes ! Et un peu effrayant avec ses grosses mains et ses pieds de géant. Mais il va pouvoir m'apprendre l'art de combattre un dragon, et puis… »

– Brune ! Cesse de t'agiter, et viens par ici.

Père Jean s'est assis un peu plus loin sur un banc de pierre. Il pose ses mains sur les épaules de Brune, et dit :

– Enguerrand est mon frère.

– Mais ce n'est pas un moine ! rétorque aussitôt Brune.

– C'est mon frère de sang… Nous avons les mêmes parents, reprend le Père Jean. Nous avons grandi ensemble.

Brune écarquille les yeux. Quand elle observe ses cheveux gris et sa tonsure, elle a du mal à imaginer son parrain, enfant, en train de jouer avec son frère le dépassant d'un pied six pouces dans la cour d'un château…

– La nuit où ton père te mit sous notre protection, tu n'étais qu'un bébé, poursuit le moine. Frère Cyril te donna à boire le lait de notre vache avec une petite outre de sa fabrication, et très vite, tu pris ta place parmi nous. Aujourd'hui, tu as grandi, et Enguerrand, après avoir…

Père Jean hésite. Il cherche ses mots.

– … après avoir longtemps guerroyé, Enguerrand veut s'occuper de ton éducation.

– Mais vous m'avez déjà appris à lire et à écrire, Parrain.

– Il va t'emmener avec lui dans un château, celui du seigneur de Beauregard, auquel il a juré fidélité. Il est temps pour toi de devenir une dame digne de ton rang, et tu ne peux demeurer éternellement ici, en te cachant…

La voix du moine s'est légèrement éraillée. Il détourne le regard, vers le clocher de l'église. Brune a l'impression qu'il s'est mis à pleuvoir, mais c'est une petite larme qui vient de couler le long de sa joue.

La journée passe lentement. Brune touche à peine le dîner frugal que lui a préparé Frère Cyril. Elle ne sait pas si elle a envie que cet homme, son père, se rétablisse puisqu'il va l'emmener loin d'ici.

Elle se rend aux écuries, pour vérifier si le destrier se porte bien.

– Bonjour, seigneur cheval !

Délivré de son caparaçon, posé dans un

coin, l'animal n'en paraît pas moins majestueux. Les yeux de Brune se posent sur le blason, et elle réalise où elle l'a déjà vu ! Sur le grimoire qui a disparu ! Elle s'apprête à prévenir Père Jean, quand des cris retentissent dans le cloître.

– C'est prodigieux ! Je suis guéri ! Gué-ri !

Le chevalier Enguerrand, en braies et en chemise, saute par-dessus les buissons. Brune meurt d'envie de courir avec lui, mais elle n'ose pas…

Les moines, de retour de leur travail dans les vignes, rient de bon cœur en découvrant leur mystérieux visiteur, ainsi dévêtu. Père Jean accourt.

– Je suis ravi, mon frère, mais rentrez vite enfiler une tenue plus décente !

Enguerrand le soulève dans ses bras.

– Jamais ne meurt, ni ne faiblit ! crie-t-il.

Père Jean se débat, et, une fois sur la terre

ferme, remet en place sa robe de bure avec agacement.

– Qu'avez-vous à me regarder ainsi? gronde-t-il à l'attention des moines. Filez vous préparer pour l'office!

Enguerrand sautille en direction de sa chambre, tout en fredonnant:

– La la la la la, chantez et dansez, me voilà réveillé!

Cachée derrière un pilier, Brune craint tout à coup que sa potion n'ait rendu le chevalier complètement fou.

– J'ai ajouté dans le breuvage, commence-t-elle en se dirigeant, penaude, vers son parrain, … un ou deux ingrédients.

Mais Père Jean, malgré la colère qui lui empourpre encore les joues, se radoucit.

– Tu as agi selon ton cœur, la rassure-t-il. Enguerrand est bel et bien guéri. Il est, hum, coutumier de ce genre de fantaisie!

CHAPITRE 6

Le jour du départ approche. Dans une be-
sace, Brune rassemble ses affaires. Elle a
dû fureter partout dans le monastère pour
les retrouver. Il y a son épée, bien sûr, et
puis sa timbale en terre cuite qu'elle a fa-
çonnée et peinte elle-même. Des petits sa-
chets de racines séchées, des flacons avec
ses poudres de couleur, des graines qu'elle
est la seule à reconnaître, et une dent de
loup porte-bonheur.

— Mon code d'honneur! s'écrie Brune, en
se souvenant des tablettes de cire, rangées

dans leur étui de cuir, et cachées sous son matelas.

Ses commandements de chevalière sont secrets. Brune ne les a montrés à personne. Elle les rectifie parfois, avec son petit style en bois, quand elle les trouve vraiment trop durs à respecter…

Une paire de chaussures neuves, une veste chaude bordée de laine de mouton, trois petits bonnets blancs, et sa plus belle tunique, sur laquelle elle a peint des fleurs au col et le long des manches, comme de petites enluminures, quittent le coffre en bois de sa cellule pour l'accompagner dans sa nouvelle demeure.

Brune laisse glisser sa main autour de son cou, comme pour vérifier que la chaîne et le médaillon offerts par son père sont bien là.

« Ce bijou appartenait à Dame Isabeau, ta

mère… lui avait-il dit alors qu'elle admirait la pierre aux reflets changeants.

– Où est ma mère ? avait demandé Brune.

– Toutes ces années, je l'ai cherchée, en vain. Je crains qu'elle n'ait disparu de ce monde… »

– Brune ? Tu es là ?

Père Jean ouvre la porte. Il tient un livre dans sa main.

– Le grimoire ! laisse échapper Brune. Vous l'avez retrouvé ?

– Je l'avais pris dans la bibliothèque, pour t'en faire cadeau…

Les mains de Brune tremblent, tout à coup, comme si elles n'osaient pas s'emparer d'un objet si précieux.

– Il appartient à notre famille depuis des années, explique le père abbé, et c'est à toi qu'il revient aujourd'hui d'en prendre soin.

Puis il ajoute :

– Enguerrand t'attend dans la clairière, il a une surprise pour toi…

Brune est déjà dans les escaliers. Elle quitte le monastère par la porte de l'office, en chipant un quignon de pain, et court rejoindre son père.

Dans la forêt, tout est calme. Brune aperçoit le destrier d'Enguerrand, attaché à la branche d'un vieux chêne. Elle lui donne le pain à manger.

– Père ! Père ! appelle la fillette.

Elle ne le voit toujours pas, mais très vite, elle l'entend.

– Avance un peu plus vite ! Brune nous attend ! gronde la grosse voix d'Enguerrand.

Brune grimpe le long du tronc du chêne. Le chevalier s'approche, en tenant par le licol un cheval trapu, et plutôt laid.

Un pincement de déception étreint le cœur de la petite fille.

« Serait-ce cela ma surprise ? »

– Brune ? Que fais-tu dans les airs ? l'interpelle Enguerrand. Descends de là que je te présente ta monture !

Brune s'exécute en se forçant à sourire. Et soudain, dans le sillage d'Enguerrand et de sa bête de somme, elle voit surgir, dans un éclat de feuilles rousses, un poney au trot nerveux, qui secoue fièrement sa crinière. C'est le sien, elle en est sûre. Et en pensée, aussitôt elle lui dit : « Je t'appellerai… Feu Follet ! »

CHAPITRE 7

Frère Cyril cache ses larmes comme il peut. Les moines sont tous là, y compris Frère Benoît qui a serré la main de Brune avec ce qui ressemblait, étrangement, à de la douceur. Père Jean aide sa filleule à monter sur son poney.

– Tu as de nombreux dons, Brune. Je sais que tu en feras bon usage, lui murmure-t-il.

– Je reviendrai vous voir, Parrain, répond Brune en s'accrochant à la crinière de Feu Follet.

– Cette maison est aussi la tienne. Que Dieu te protège… ma filleule !

Le vieil homme ouvre la lourde porte du monastère.

– En avant ! crie Enguerrand à sa monture, son sommier[4] à sa suite, chargé des effets du chevalier et de ceux de sa fille. Feu Follet hennit, comme pour encourager sa cavalière qui pose son regard, loin vers l'horizon.

La route est longue jusqu'au château de Beauregard. Brune a mâché des feuilles de sauge toute la matinée pour tenter de faire disparaître la boule qui lui serre le ventre. Elle a un peu peur, tout en étant impatiente.

– Au château, je m'occuperai des chevaux ! dit-elle soudain.

– Au château, vous retrouverez d'autres damoiselles, dont la fille du seigneur de Beauregard, répond Enguerrand.

4- Cheval robuste qui porte les affaires du chevalier.

– Je préparerai votre armure pour les tournois, et j'apprendrai à manier la lance, rêve Brune, tout haut.

Son père semble ne pas l'écouter. Il poursuit, tout en traversant un ruisseau.

– Vos journées seront douces. Vous apprendrez des poèmes, tout en filant la laine…

– J'aurai mon propre écu…

Brune s'interrompt. Une ombre se faufile près d'eux. Au même instant, le père et la fille ont sorti leurs épées.

– C'était un sanglier! rit finalement Brune, en voyant l'animal détaler.

Son père la dévisage.

– Avec tes boucles courtes, et cette épée, je crains qu'on ne te prenne pour un petit page!

– Un page? se vexe Brune. Je suis une écuyère!

– Ah! Ah! Mais tu es bien trop frêle!

– J'ai porté votre heaume d'une seule main et je l'ai même enfilé, ce matin !

Enguerrand saute à terre et brandit son épée, emporté par l'envie de mettre Brune au défi.

– Par le fer et par le feu, je serai la plus forte ! hurle alors Brune, en faisant fuir les écureuils.

Enguerrand, les yeux écarquillés, se laisse toucher en plein cœur.

– Tu as de beaux gestes ! constate-t-il, un peu gêné. Et cette arme est impressionnante, ma foi !

– Je l'ai taillée moi-même dans du bois d'olivier.

Le chevalier se reprend.

– Il faut partir, si nous voulons arriver avant la nuit devant le pont-levis !

Brune et son père reprennent la route en silence. Au-delà de la forêt, ils traversent

des champs, un village, puis ils s'engagent sur un chemin escarpé.

Enfin, Brune voit les tours du château apparaître à flanc de colline, illuminées par la lumière du soleil couchant. Quelle vie l'attend derrière ces tours?

«Quoique le sort te réserve, reste fidèle à ce que tu es! lui a dit son parrain. Tu es unique. Tu es Brune du Lac!»

TABLE DES MATIÈRES

Christelle Chatel

Une nuit, Brune m'est apparue en rêve. Elle m'a conduite avec elle dans les couloirs d'un château. D'où venait-elle ? Quelle était son histoire ? Et si ce château, elle le découvrait, comme moi, pour la première fois ?
Dès le lendemain matin, je décidai de la faire vivre grâce à la magie des mots. Depuis, Brune continue de guider ma plume, et je ne sais pas encore dans quelle nouvelle aventure elle va m'entraîner...

Sébastien Pelon

Quand j'étais petit, je vivais à côté des ruines d'un vieux château fort. Il y avait encore les douves et de nombreux souterrains qui devaient à coup sûr renfermer mille secrets, voire même un trésor. Avec mes copains, nous passions nos journées à arpenter ces vieilles pierres, une cape sur le dos et une épée en bois à la main, chevaliers sans peur au cœur de la forêt. Nous vivions des aventures comme celles de Brune, mais mon Feu Follet à moi s'appelait BMX, il avait deux roues et un beau guidon !

premiers romans

Le jongleur le plus maladroit
de Evelyne Brisou-Pellen
illustré par Nancy Peña

« Quand Aymeri le jongleur, son
grand sac en bandoulière, passa
devant la ferme, il entendit des cris.
Surpris, il s'approcha à pas de loup et aperçut
un homme grand et maigre, vêtu d'une cape noire,
qui fouettait un paysan.
Le paysan pleurait :
– Arrêtez, messire l'intendant ! Arrêtez !
« Tiens tiens, se dit Aymeri, voilà donc l'intendant
du château. »
    L'homme à la cape noire cria :
– Je vais t'apprendre, misérable, à dissimuler
du grain dans ta paillasse ! Le grain appartient
à ton seigneur, tu dois le lui donner. »

Aymeri déteste les injustices ! Manque de chance pour
l'intendant, le jongleur est très maladroit… si maladroit
qu'il pourrait venger les innocents… accidentellement !